El viaje perdido

Written by Lisa Ray Turner
and Blaine Ray

Written by Lisa Ray Turner and Blaine Ray
Illustrations by Laia Amela Albarran

Published by:
TPRS Books
9830 S. 51st Street-B114
Phoenix, AZ 85044
Toll free phone: (888) 373-1920
Toll free fax: (888) RAY-TPRS (729-8777)
www.tprsbooks.com
info@tprsbooks.com

ISBN-10: 0-929724-59-3
ISBN-13: 978-0-929724-59-1

Índice

LA FIESTA

Capítulo uno
El crucero

A Carlos le encanta el mar. Le encanta todo del mar. Le encantan los barcos. Le encantan los peces. Ese día Carlos estaba feliz. Estaba contento porque estaba en un crucero. El crucero se llamaba La Fiesta. Era su segundo viaje en crucero. El otro crucero fue algunos meses antes cuando ayudó a una mujer a encontrar un collar que le había robado otra mujer. La compañía de los cruceros estaba tan contenta con Carlos que le ofreció otro viaje. Esta vez Carlos iba a la hermosa isla de Puerto Rico.

Dos personas acompañaban a Carlos en el crucero: su amigo Jaime y la tía de Jaime que se llamaba Alicia. Alicia estaba muy mareada. Estaba sentada y bebía soda. Ni siquiera bajaría del crucero en Puerto Rico. Sólo quería quedarse en su cuarto y dormir mientras no se movía el barco. Les dijo a Carlos y Jaime que no los iba a acompañar en Puerto Rico. Tenían que ver la isla solos.

Carlos y Jaime estaban contentos de estar solos en Puerto Rico. Hacía mucho tiempo que eran amigos. Los dos vivían en Ohio. Los dos estudiaban ese año en la Universidad del Estado de Ohio en Columbus.

La verdad es que Carlos es muy diferente a Jaime y Jaime es muy diferente a Carlos. Carlos es robusto y alto. Cuando estaba en la secundaria jugaba al fútbol americano. Carlos era mejor jugador de fútbol americano que estudiante. Sacaba excelentes notas pero no superbuenas. En cambio, Jaime sacaba notas superiores. Jaime sacaba buenas notas, aún en las clases difíciles. Jaime es flaco y bajo. Es mucho más bajo y más pequeño que Carlos. Jaime tiene el pelo corto. Siempre llevó el pelo corto desde el primer año de la escuela. A los dos les gustan los videojuegos. Siempre juegan juntos. También les gusta pasar tiempo juntos en el agua. Les gusta nadar y esquiar. Les gusta hablar especialmente de chicas. Les gusta hablar del fútbol americano también. Su equipo favorito es Ohio State. El partido más importante del año es el de Ohio State contra Michigan. Cuando Ohio State gana el partido es el evento más importante del año.

Carlos y Jaime estaban contentos porque estaban en el crucero. Había muchas cosas interesantes que hacer en el crucero. Les gustaba nadar en la piscina. Les gustaba comer la comida rica del crucero. Les encantaban los desayunos y almuerzos grandes. Les encantaban las cenas grandes, aún a medianoche.

El barco se acercaba a Puerto Rico. Carlos le dijo a Jaime:

—Tengo hambre. ¿Quieres comer un sándwich antes de llegar a San Juan?

—Sí —contestó Jaime—. Yo también tengo hambre. Quiero un sándwich y un helado. Me encantan los helados aquí en el barco.

—Me parece bien —dijo Carlos—. Vamos al Café Lupita.

El Café Lupita era una de las cafeterías del barco. Estaba abierto día y noche. Cuando llegaron a la cafetería, se sentaron a la mesa para comer sándwiches y tomar helados de chocolate. Estaban comiendo cuando Jaime le dijo a Carlos:

—Mira a esa chica que acaba de entrar.

Carlos estaba comiendo cuando la vio. Era joven y bonita. Tenía el pelo largo y rizado. Era tan bonito. La piel de la chica tenía el color del café con crema. Tenía una cara hermosa y también un cuerpo hermoso. Llevaba una blusa blanca muy bonita. También llevaba una falda larga con flores.

—Caramba —dijo Carlos—, esa chica es hermosa.

—Es cierto —dijo Jaime—. La vi anoche durante la cena. Creo que estoy enamorado.

—Yo también —contestó Carlos.

—¡Qué pena! No nos mira a nosotros —dijo Jaime.

—¿Por qué dices eso? —preguntó Carlos—. Somos jóvenes y muy guapos.

—Ella va a pensar que somos muy jóvenes para ella —contestó Jaime—. Es que ella parece que tiene más años que nosotros.

—¿Cuántos años tiene? ¿Qué piensas? —preguntó Carlos.

—Probablemente tiene 25 años —dijo Jaime.

—Una mujer vieja —contestó Carlos.

En un momento la mujer hizo una cosa muy extraña. Se acercó a Jaime y a Carlos y les dijo:

—¿Les parece bien que me siente aquí?

Carlos y Jaime le dijeron:

—Por favor, toma asiento.

—Me llamo Carmen Moreno. ¿Cómo se llaman Uds.? —les dijo la mujer.

Carlos y Jaime le dijeron sus nombres:

—Somos norteamericanos. Somos de Ohio.

—¡Qué bueno! —dijo Carmen—. Quería saber sus nombres porque me estuvieron mirando durante mucho tiempo.

Carlos y Jaime se miraron el uno al otro. Tenían vergüenza.

—Perdón —le dijo Carlos.

—No es nada —contestó Carmen—. Estoy acostumbrada a eso.

Carlos pensó: "Carmen es simpática y hermosa. Sabe que los hombres la miran."

—Me gusta ver a los hombres cuando me miran —dijo Carmen.

—Estudiamos en la Universidad de Ohio State. Somos universitarios —le dijo Jaime.

—Qué bueno —contestó Carmen—. Yo estudié en la Universidad de Columbia. Es una universidad de verdad. No es como Ohio State.

Carlos se enojó con Carmen. Carmen es muy creída. Piensa que es la única mujer en el universo.

—¿Tú eres americana? —preguntó Jaime.

—Soy puertorriqueña —respondió Carmen. Tal vez Jaime no se dio cuenta de que Carmen era una mujer mala.

—Soy de Puerto Rico —dijo ella— pero vivo en la ciudad de Nueva York. Muchos puertorriqueños vivimos allí.

—Todo el mundo sabe eso —le dijo Carlos—. Hay unos tres millones de puertorriqueños que viven en los Estados Unidos.

Carlos se sentía orgulloso porque se creía inteligente. Se alegró porque había leído un libro acerca de Puerto Rico antes del viaje.

—La mayoría de los puertorriqueños viven en Nueva York —le respondió Carlos—. Incluso algunos dicen que hay más puertorriqueños en Nueva York que en Puerto Rico.

Carlos trató de parecerle inteligente a Carmen.

—¡Es obvio! —gritó Carmen. Estaba enojada. —Claro que hay millones de puertorriqueños vivimos en los Estados Unidos. Todos somos ciudadanos de los Estados Unidos. Puerto Rico es parte de los Estados Unidos. Todos los puertorriqueños que viven en Puerto Rico viven en los Estados Unidos porque la isla de Puerto Rico es parte de los Estados Unidos.

—Yo ya sabía eso —le dijo Carlos.

—¿Puerto Rico es parte de los Estados Unidos? —preguntó Jaime.

Carlos no lo podía creer. A pesar de ser inteligente, Jaime a veces parecía tonto.

Carmen puso una cara fea. Parecía que estaba comiendo pescado podrido. Puso el sándwich de atún en la mesa y sonrió.

—Ya me voy. Uds. dos son muy niños para mí. Ya es muy tarde para niñitos como Uds. Vayan a dormir. Es tarde.

Jaime se rió. Carlos se enojó. Esa mujer era muy mala.

—¡Adiós, Carmen! —le gritó Jaime—. Nos vemos pronto en el crucero.

Carmen rió. Su sonrisa era desagradable, parecía de una mujer de un libro de ficción. Dejó parte del sándwich de atún en la mesa y se fue. Cuando caminaba, el pelo se le movía de un lado al otro.

Carlos dijo:

—Qué . . .

—Mujer asombrosa —dijo Jaime.

—Yo no iba a decir eso —contestó Carlos—. Es terrible. Es una bruja.

—Es una mujer hermosa —dijo Jaime— y todavía estoy enamorado. Estoy loco por ella.

—Eso realmente es la verdad. Estás loco —le respondió Carlos—. ¿Oíste las cosas terribles que dijo de nosotros?

—Carlos —dijo Jaime—, todo lo que dijo es una broma.

—Jaime, realmente estás loco —dijo Carlos.

—No importa —contestó Jaime—. Carmen se fue. Es un barco grande. No la vamos a volver a ver en el crucero.

—Espero que no —dijo Carlos.

En ese momento, el mesero del Café Lupita vino a la mesa.

—Tienen que bajarse del barco ahora —les dijo—. Estamos en San Juan. Es una ciudad hermosa. Tienen que salir y recorrer la ciudad.

—Magnífico —le dijo Carlos—. Vamos, Jaime, vamos a recorrer San Juan.

—Tienen que estar de regreso en el barco a las ocho en punto —les dijo el mesero.

—Está bien —contestó Jaime.

Carlos y Jaime bajaron del barco. Estaban muy emocionados por caminar en la playa del Condado, por comprar playeras de Puerto Rico, por comer fruta y por ver el Viejo San Juan.

Capítulo dos
San Juan

San Juan es una ciudad antigua. Se fundó en 1519 y muchos de los edificios antiguos todavía existen. Carlos y Jaime vieron la mayoría de los edificios. Fueron a La Fortaleza, donde vive el gobernador de Puerto Rico. Visitaron El Morro, otra gran fortaleza que comenzó a construirse en 1539. También vieron la Casa Blanca, la casa de la familia de Ponce de León desde 1523 en adelante.

San Juan era una ciudad emocionante. Había edificios grandes y modernos con muchos restaurantes de comida internacional. Había iglesias antiguas. Había mucha gente, diferentes tipos de personas. Había familias que vinieron de Irlanda e Inglaterra a principios del siglo XIX. Había familias francesas que vinieron de Louisiana y Haití. Había hispanos y gente de África. Había mucha gente de varias partes.

—Ésta es una ciudad interesante, ¿no es cierto? —le preguntó Jaime a Carlos.

—Hay tantas cosas aquí. Pasan tantas cosas aquí —dijo Carlos—. Realmente es una ciudad muy movida.

—Quiero relajarme —le dijo Jaime—. Estoy cansado de ver edificios turísticos y estoy cansado de caminar tanto.

—Yo también estoy cansado de caminar —contestó Carlos— pero son las cuatro de la tarde. Tenemos cuatro horas más. Es muy temprano para volver a La Fiesta.

—Es cierto. Ya que tenemos cuatro horas, vamos a la playa.

—A mí me parece bien —dijo Carlos—. Vamos.

—Yo sé que te encanta el mar —le contestó Jaime—. No hay mar en Ohio. Debemos ir al mar aquí en Puerto Rico.

—Tienes razón —contestó Carlos—. Podemos tomar el sol, beber una gaseosa debajo de un árbol y hablar con la gente.

—¿Hablar con las chicas de aquí? —preguntó Jaime.

—Es posible —dijo Carlos con una sonrisa—. Tú sabes que las chicas están locas por mí.

—Vamos a la playa del Condado —contestó Jaime—. La guía dice que es la mejor playa de Puerto Rico.

Jaime ha leído tantos libros que a veces Carlos cree que Jaime es un libro que camina.

—Vamos a la playa en una guagua —dijo Carlos.

—Una guagua es un bebé, ¿no? —le preguntó Jaime.

—En Sudamérica sí. Los sudamericanos les dicen "guagua" a los bebés pero aquí en el Caribe una guagua es un autobús local —explicó Carlos.

—Eso es muy interesante. Está bien. Vamos a la playa en una guagua —contestó Jaime.

Tomaron la guagua para ir a la playa del Condado. Era fácil encontrar la playa porque es un lugar tan famoso. Todo en el Condado era nuevo y moderno. Los edificios eran grandes. Carlos y Jaime caminaron por los edificios y después llegaron a la playa. La playa era muy hermosa. La arena era blanca y fina. Hacía calor pero no mucho. El agua era muy clara y azul. Jaime y Carlos oyeron música de un hotel. Había música en todas partes de Puerto Rico. Música salsa. Música tropical. La música se escuchaba fuerte.

—Tengo ganas de bailar —dijo Jaime a Carlos, al sentarse en la arena.

—No bailes —le dijo Carlos—. Tú bailas como una abuela.

—¡Qué ridículo! —contestó Jaime—. Yo sé bailar mejor que tú.

—Mira a esa chica —dijo Carlos—. Parece que está vendiendo bebidas.

—¡Qué chica tan hermosa! —contestó Jaime—. Las puertorriqueñas son todas bonitas. Le voy a comprar una bebida.

La mujer se acercó a ellos y les preguntó:

—¿Quieren una Coca-Cola? ¿Una botella de agua? ¿Un jugo de fruta?

—Quiero un jugo de fruta —dijo Carlos— de piña y fresas.

—Quiero una soda —dijo Jaime.

Jaime sonrió. Parecía enamorado.

—Vuelvo pronto —les dijo la mujer.

La chica sonrió. Tenía dientes muy blancos. Su piel era morena y tenía el pelo oscuro. Fue a la cafetería de uno de los hoteles para buscar la bebida. Carlos y Jaime la miraban con admiración desde la playa.

—Hay tantas chicas aquí y tan poco tiempo. ¡Qué lástima! —comentó Carlos.

Los dos se quitaron las camisas y tomaron el sol. Se sentían muy bien en la arena. Les gustaba el sol. Les gustaba la arena.

—Tengo ganas de dormir —dijo Jaime.

—Yo también quiero dormir —contestó Carlos—. No nos dormimos hasta las tres y media de la

mañana. No dormimos mucho.

—Cuando estoy en el barco, no tengo ganas de dormir —respondió Jaime—. Es que hay tantas cosas que hacer. ¿Quién va a querer dormir?

La mujer hermosa se acercó a Carlos y a Jaime.

—Tengo las bebidas que pidieron. Son cinco dólares.

Carlos pagó las bebidas y le preguntó:

—¿Te gusta la vida aquí en Puerto Rico?

—Puerto Rico es mi país —contestó la mujer—. Le decimos la patria.

—Es hermoso aquí —dijo Carlos.

—Es hermosísimo —respondió ella—. Siempre hace calor. El mar es hermoso. Las flores y los árboles son hermosos. Los pájaros son hermosos también. Y la gente es muy simpática.

—Puerto Rico es un paraíso —dijo Carlos.

—Todos le dicen "la isla del encanto" —comentó la mujer— pero todo no es perfecto. Aquí tenemos problemas.

—¿Problemas? —preguntó Jaime—. ¿Por qué dices que hay problemas aquí en la isla del encanto?

—Hay huracanes —respondió ella— y a veces se muere gente por los huracanes.

—No hay huracanes en Ohio —dijo Jaime.

—Hay gente pobre en Puerto Rico. Algunos no tienen trabajo. Algunos hacen cosas malas. Aquí en el Condado hay ladrones. Cuidado porque hay gente que te puede robar —dijo ella.

—OK —respondió Carlos.

—Gracias por las bebidas —dijo Jaime—. Fue un placer conocerte.

La mujer sonrió y volvió al hotel. Mientras caminaba hacia el hotel, se detuvo y habló con otro grupo de turistas.

Carlos y Jaime se acostaron sobre las toallas del crucero mientras tomaban las bebidas. El sabor de las bebidas era bueno. El sol estaba caliente. La arena estaba caliente. Era tarde. Carlos y Jaime no pensaron más en nadar. No pensaron más en las chicas de Puerto Rico. Se olvidaron de todo porque tenían sueño. En unos minutos, los dos se quedaron dormidos en la playa del Condado, Puerto Rico. Estaban tan cansados que durmieron mucho.

Cuando Carlos escuchó la voz de Jaime, se despertó.

—Faltan quince minutos para las ocho —dijo Jaime.

Carlos no quería levantarse porque todavía tenía sueño.

—Debemos volver ya. El crucero sale en quince

minutos. Tenemos que estar en el crucero o va a salir sin nosotros.

Jaime se levantó y comenzó a correr. Carlos vio a Jaime y se despertó. Carlos también empezó a correr. Los dos corrieron lo más rápido posible. Tenían suerte porque vieron una guagua. Gritaron. La guagua se detuvo. Se subieron a la guagua para ir al barco. Carlos sacó dos dólares de su bolsillo y pagó la guagua.

—¿Qué hora es? —preguntó Carlos.

—Faltan cinco minutos para las ocho —respondió Jaime.

—¡Qué tontos! —dijo Carlos—. Vamos a llegar tarde al barco.

—No es nada —contestó Jaime—. Es un crucero. No va a salir si no están todos los pasajeros. También la tía Alicia sabe que no estamos en el crucero. Ella seguramente habló con el capitán del barco acerca de nosotros.

La guagua llegó rapidísimo al puerto del barco. Los dos chicos bajaron inmediatamente de la guagua. Cuando bajaron, miraron y vieron el barco. El barco salía sin ellos.

LA FIESTA

Capítulo tres
El barco se fue

Carlos tiró la toalla al suelo. Estaba tan enojado.

—¡No lo puedo creer! —gritó—. Somos dos tontos. Perdimos el barco. Es ridículo. El viaje está perdido.

—Se fue el barco —dijo Jaime—. No lo puedo creer. El barco no está. Salió sin nosotros.

Jaime no estaba muy enojado. Estaba sorprendido. Tan sorprendido que apenas podía hablar.

—Por supuesto que ya salió el barco —le dijo Carlos—. Son las ocho y cinco. Llegamos demasiado tarde. A lo mejor no saben que no estamos en el barco.

—Pero la tía —preguntó Jaime—. ¿Qué pasó con ella?

—A lo mejor está en la cama durmiendo —contestó Carlos—. Está enferma.

—Ella seguramente les va a decir que no estamos en el barco —dijo Jaime.

—Sí. Y va a llamar a nuestros padres —contestó Carlos—. Se van a enojar mucho con nosotros. Aunque la tía les diga a la gente del crucero, no van a volver por nosotros.

—No sé —dijo Jaime—. Realmente tenemos problemas. ¡Qué tontos! Normalmente somos chicos inteligentes, pero hoy no.

—Puedes decir eso mil veces —dijo Carlos—. Tontos. Tontos. Tontos.

—No quiero oír la palabra tonto. Tenemos un gran problema —contestó Jaime—. Tenemos que hablar de soluciones. Estamos en Puerto Rico. Vivimos en Ohio. Nuestro barco ya salió. ¿Qué vamos a hacer?

—Tenemos un problema aun más grande —le dijo Carlos—. No tengo mi billetera. Alguien me robó la billetera mientras dormía en la playa.

Carlos siguió buscando la billetera pero no la pudo encontrar. La billetera no estaba.

—No lo puedo creer —dijo Jaime y puso la mano en el bolsillo. Esa mujer tenía razón. Nos dijo que había ladrones en el Condado.

—¿Tienes la billetera? —preguntó Carlos—. Por favor, dime que tienes tu billetera.

—No la tengo —le respondió Jaime.

Carlos se sentó en el suelo. Estaba enojado. Estaba triste. Tenía miedo. Tenía ganas de llorar.

—No te preocupes, Carlos —dijo Jaime—. Debemos pensar. Hay una solución. Solamente tenemos que pensar.

—Seguro que hay una solución —contestó Carlos—. No sé, Jaime. No hay solución. Tengo hambre. No tengo dinero. Le di mis últimos dos dólares al chofer de la guagua. No tengo ropa excepto la que tengo puesta. Estoy en una ciudad extraña. Una ciudad grande y extraña. Es de noche. No tenemos donde dormir. No veo ninguna solución a este problema.

—Tienes razón —dijo Jaime—. Tenemos un problema grande.

Jaime se sentó al lado de Carlos. Los dos estaban tristes y tenían miedo. No dijeron nada. La única cosa que oían era la música de un hotel en la distancia.

—Está bien. —dijo Carlos—. Tenemos que ir a un ciber café para hablar por Skype o Facebook.

—Buena idea —contestó Jaime.

Carlos y Jaime encontraron un ciber café. Usaron una computadora. Carlos usó Skype para llamar a los padres. No pudo hablar con ellos.

Jaime también usó la computadora pero sus padres no estaban en casa.

No sabían qué hacer. Se sentaron cerca de una parada de autobuses. Oían música salsa a lo lejos.

—Quiero agua —dijo Jaime—. Vamos a la cafe-

tería que está allí. Podemos tomar agua y escuchar música. Podemos decidir qué hacer también.

—Buena idea —contestó Carlos—. Podemos dormir en la calle esta noche. Tenemos que quedarnos en el restaurante unas horas. Podemos bailar y tomar agua. Más tarde podemos dormir en la calle.

—Buena idea —dijo Jaime.

Fueron a la cafetería. Era una cafetería pequeña con unas mesas. La mayoría de la gente estaba comiendo pastelillos. Un pastelillo tiene carne y queso. Es un plato típico de Puerto Rico. Algunas personas estaban comiendo plátanos cocidos. Es otra comida típica del Caribe. Jaime y Carlos tenían hambre. Se sentaron a la mesa con el agua.

—Tengo muchísima hambre —dijo Jaime.

—Yo también —contestó Carlos—. Creo que me voy a morir de hambre.

—Creo que no vamos a comer más porque no tenemos dinero —dijo Jaime.

—Vamos a morir aquí en Puerto Rico —contestó Carlos.

—Vamos a tomar mucha agua —le respondió Jaime.

En ese momento Carlos se puso muy contento.

—¿Por qué estás contento cuando nos vamos a

morir de hambre? —preguntó Jaime—. ¿Es que te gusta el agua de aquí?

—Mira, hay una banda. Es una banda de salsa. Hay una chica que va a salvarnos.

Los dos miraron a las personas en la banda. Vieron a la persona que podía ayudarlos. Era una muchacha. Estaba allí parada con la banda. Era Carmen Moreno. Ella parecía una persona mala. Pero a Jaime y Carlos les parecía bella, más bella que nunca. Era divina. Era un ángel.

Capítulo cuatro
¡Qué suerte!

Carlos y Jaime corrieron hacia Carmen. Estaban contentos de ver a alguien que ya conocían aunque no la conocían muy bien. Por lo menos conocían a alguien. Estaba tomando una bebida. Carmen vio a los chicos.

—¿Qué hacen Uds.? ¿Por qué están aquí? ¿Por qué no se fueron en el crucero?

—Perdimos el barco por cinco minutos —le dijo Jaime.

—Y un ladrón nos robó —le dijo Carlos—. No tenemos nada. Necesitamos ayuda.

—Yo los podría ayudar, pero no tengo ganas —les dijo ella. Carmen se rió. Jaime y Carlos no se rieron. No podían reírse porque tenían tanta hambre.

—Por favor, Carmen. Necesitamos tu ayuda —le dijo Carlos—. Necesitamos un lugar donde dormir. No tenemos dinero. Nos robaron cuando estábamos durmiendo en la playa del Condado y luego usamos lo poco que nos quedaba para ir en guagua al crucero.

—Pobrecitos —les contestó Carmen.

—Oye —le dijo Jaime—, ¿por qué no estás en el barco? ¿Perdiste el crucero también?

—No —les explicó Carmen—, trabajo para la compañía de los cruceros. Trabajo en la oficina de Nueva York. Vine en el crucero a Puerto Rico para ver a mi abuela. Ella vive en Puerto Rico. Puedo viajar gratis porque trabajo para la compañía de los cruceros. Voy a volver a la Florida en el crucero. El crucero va a volver en dos días. Después voy a Nueva York en avión.

—¿Vuelve el crucero en dos días a Puerto Rico? —preguntó Jaime.

—Sí —respondió Carmen.

—Eso sí que es bueno. Podemos tomar el crucero en dos días, ¿no? —le preguntó Carlos.

—Tal vez. Si tienen un cuarto desocupado. Pienso que es probable. Es la temporada de los huracanes. Durante la temporada de huracanes hay menos personas en los cruceros.

—Gracias —le dijo Carlos.

—De nada —contestó Carmen. Carlos estaba sorprendido. Carmen estaba actuando de una manera muy simpática. Carlos quería saber por qué.

—Muchísimas gracias —le dijo Carlos—. Necesitamos más ayuda.

No quería pedirle nada pero no había otro remedio. No había otra persona.

—¿Qué necesitan? —les preguntó Carmen.

—Dinero —contestó Carlos.

—Un lugar donde dormir —dijo Jaime.

—Les voy a prestar un poco de dinero pero tienen que devolvérmelo —dijo ella.

—Por supuesto —contestó Carlos—. Vamos a devolverte el dinero cuando vayamos a casa.

—También pueden dormir en casa de mi abuela —dijo Carmen—. Ella es muy simpática.

—Todas las abuelas son simpáticas —contestó Carlos. No lo podía creer. Carmen era tan amable con ellos. Y ellos podían quedarse con su abuela. Todo estaba perfecto.

—Hay solamente una cosa —les dijo Carmen.

"¡Oh no!" pensó Carlos. "Algo terrible".

Carmen le sonrió a Carlos.

—Le voy a decir a mi abuela que tú eres mi novio —dijo Carmen—, mi novio norteamericano que es muy rico.

—Mi abuela piensa que debo casarme con alguien. Ella quiere que yo tenga un novio. Y sólo tengo 24 años. No entiende que el mundo es diferente ahora. No entiende que quiero trabajar y tener una carrera primero.

—Eso es fácil —contestó Carlos. Pensó: "Carmen es hermosa. No es una cosa terrible. Yo sí puedo ser el novio de ella."

—Y tú —le dijo Carmen a Jaime—. Tú tienes que ayudar también. Tienes que ayudar a mi abuela. Ella tiene una farmacia. Vende medicinas. Vende velas y cosas mágicas. Se usan las cosas que vende en ceremonias religiosas. Mi abuela sabe ver el futuro. Puede hablar con personas muertas. Tiene poderes especiales.

—Me gusta —respondió Jaime.

—Recuerden —les dijo Carmen—, Carlos, tú eres mi novio, y Jaime, tú vas a ayudar a mi abuela con las cosas que vende.

—De acuerdo —le dijeron ellos.

Los chicos realmente no tenían otro remedio. Estaban en Puerto Rico sin dinero y no conocían a nadie. No tenían donde pasar la noche ni comida tampoco. Así que iban a ir con Carmen.

—Vamos a hacerlo —le dijo Jaime a Carlos— pero pienso que ser el novio de Carmen es mejor que ayudar a su abuela.

Carlos miró a Carmen. Era muy hermosa. Tenía un pelo hermoso.

—Creo que tienes razón —contestó Carlos.

—Vamos, chicos. Vamos a la casa de mi abuela —les dijo Carmen—. Tengo hambre. Mi abuela siempre tiene comida en su casa.

Carlos y Jaime se miraron el uno al otro. Estaban emocionados. ¡Comida! ¡Comida por fin!

—Primero —dijo Carlos— tenemos que llamar a nuestros padres. Tenemos que avisarles que todo está bien aquí y que no pasa nada.

—Por supuesto —les dijo Carmen—, se me olvidó. Ustedes dos son niñitos. Tienen que llamar al papá y a la mamá.

Carlos se enojó con Carmen. Se ofendió pero no le dijo nada a Jaime. Ahora, Carmen era su única amiga en Puerto Rico. Y él era su novio guapo.

Capítulo cinco
La abuela

Carlos y Jaime llamaron a sus padres. Sus padres estaban enojados porque ellos perdieron el crucero. Pero estaban contentos porque los dos estaban vivos.

Carmen llamó a la compañía de los cruceros. Le dijeron que La Fiesta iba a llegar a Puerto Rico dentro de dos días. En dos días Carlos y Jaime podían tomar el crucero y volver a la Florida. Desde la Florida podían tomar un avión para ir a Ohio. Estaban muy agradecidos por la ayuda de Carmen.

Caminaron a la casa de la abuela de Carmen. Se llamaba Sra. Rivera. La casa era muy pequeña. Había tres cuartos. Las paredes eran amarillas. Había muchas velas en la casa. También había estatuas, estatuas de santos. Los santos son muy importantes para la gente de Puerto Rico. Había máscaras. Los puertorriqueños les dicen "caretas". Les daba miedo verlas. Parecían parte animal y parte monstruo. Carmen les dijo que en Puerto Rico durante el carnaval la gente usa caretas.

La Sra. Rivera era una mujer vieja. Era baja

y gorda. Tenía el pelo corto con ojos verdes y extraños. Llevaba una falda con colores diferentes y brillantes. También llevaba una blusa con colores brillantes. Ella tenía aretes grandes en las orejas y llevaba un collar muy extraño. Cuando Carmen, Carlos y Jaime entraron a la casa, la abuela se acercó a Carmen y le dio un beso.

—Éste es Jaime, un amigo —le dijo Carmen a su abuela.

—Mucho gusto, Jaime —le respondió la Sra. Rivera.

—Y éste es mi novio —dijo Carmen—. Se llama Carlos.

—Un novio —le dijo la Sra. Rivera con una sonrisa grande.

Cuando la abuela sonrió, Carlos vio que le faltaba un diente. Sus otros dientes eran de color gris.

—No tenía ni idea de que tenías novio —le dijo la abuela a Carmen.

—Es una sorpresa, ¿no? —le respondió Carmen.

—Una sorpresa muy buena —dijo la Sra. Rivera—. Mi Conchita tiene novio. Me alegro.

—Es un gran placer para mí —le dijo Carlos a la abuela.

La abuela besó a Carlos tres veces. Cuando lo besó, Carlos pensó que la abuela tenía olor a zapa-

tos viejos. Después ella le puso la mano en la cabeza a Carlos y cerró los ojos. Se dijo algo a sí misma. Después de varios minutos la Sra. Rivera le dijo:

—Es realmente un placer conocerte. Carmen tiene novio. Me alegro tanto. Y además es norteamericano y muy guapo.

La abuela hablaba rápido. También dijo que Carlos tenía los brazos fuertes y que el espíritu dijo que Carlos es un chico bueno. Ni Jaime ni Carlos entendieron sus palabras. Carlos sabía que la abuela estaba diciendo algo positivo, así que miró a Carmen. Puso el brazo en el hombro de Carmen y le dio un beso.

—Carmen es mi amor. Estamos muy enamorados —le dijo Carlos a la Sra. Rivera. Carmen pateó a Carlos. Carlos pensó: "¿Por qué me pateó?"

—Carmen es tan bonita. No entiendo por qué todavía no se casa —les dijo la Sra. Rivera.

—No hay problema —le respondió Jaime—. Carmen y Carlos están muy enamorados. Tal vez se casen algún día.

—Si Dios quiere —le respondió la Sra. Rivera.

—Abuelita, tengo una sorpresa —le dijo Carmen—. Jaime la va a ayudar en la farmacia. Va a trabajar porque el trabajo es muy duro para Ud. Hace calor y se cansa mucho. Todos podemos ayudarla pero especialmente Jaime.

—¡Qué chico tan amable! —les dijo la Sra. Rivera—. Gracias, Jaime. Gracias, Carmen. ¿Quién tiene hambre? Para la cena tengo arroz con pollo y frijoles negros. También hay plátanos fritos. Ya que Carmen está aquí, tengo su comida favorita, un pastel de banana.

—Me encanta el pastel de banana de mi abuela —les dijo Carmen.

Todos fueron a la cocina. La Sra. Rivera ofreció una bendición y después todos comenzaron a comer. Carlos y Jaime tenían tanta hambre. La comida no era comida americana pero era la mejor comida de sus vidas. Los plátanos fritos también estaban muy ricos. Los plátanos se parecían a las bananas que comían en Ohio pero eran más grandes y no eran tan dulces y estaban fritos.

—Parece que ustedes tienen mucha hambre —les dijo la Sra. Rivera—. Les gusta mi comida. Me alegro.

—La comida es muy buena —le dijo Carlos—. Gracias.

La abuela les ofreció más comida. Puso un plato de plátanos fritos delante de Carlos. Carlos se sirvió más plátanos.

Carlos y Jaime siguieron comiendo los plátanos hasta no poder comer más. La comida era muy buena. Después de comer, hablaron acerca de béisbol. La abuela sabía mucho acerca de béisbol. Carmen sabía mucho de béisbol también.

—El béisbol es el deporte más popular de Puerto Rico —les dijo la Sra. Rivera. Siguieron hablando de otros deportes y de otros aspectos de la vida de Puerto Rico.

Después de un rato, todos tenían sueño y se acostaron. La Sra. Rivera y Carmen durmieron en una cama. Jaime y Carlos durmieron en el suelo. El suelo era muy duro pero a Jaime y a Carlos eso no les importaba. No estaban durmiendo en las calles de San Juan. Durmieron muy bien y estaban muy contentos.

Capítulo seis
Los secretos mágicos

—Despiértense, chicos. El día se pasa rápido. Despiértense.

Carlos abrió un ojo. Oyó una voz fuerte. La voz de la abuela Rivera era muy fuerte. Anoche no era tan fuerte. Anoche la Sra. Rivera tenía una voz muy suave. Hoy tenía la voz de un elefante. Carlos miró el reloj. Eran las cinco de la mañana.

La abuela tenía varias velas. Las velas estaban en vasos altos. En los vasos había fotos de unos santos. Cincuenta de los vasos tenían santos. La abuela andaba prendiendo las velas. Hablaba mientras prendía las velas. Era un tipo de oración. Ella movía las manos y decía algo muy raro. Sus palabras eran palabras extrañas. Carlos y Jaime no entendían las palabras. Les dieron miedo.

Carmen estaba en la cocina. Carlos y Jaime se fueron a la cocina con Carmen. Querían escaparse de la abuela y de las cosas extrañas que hacía.

—¿Por qué se despierta tan temprano tu abuela? —le preguntó Jaime mientras comía en la mesa.

—Tiene muchas cosas que hacer —le dijo Carmen—. Reza mucho. Habla con mucha gente. Los ayuda. Le gusta despertarse temprano.

Carmen bebía café.

—¿Quieres una taza de café? —le preguntó a Carlos—. El café de Puerto Rico es muy fuerte. Si tomas un poco de café de aquí, te vas a despertar. Pero tú eres muy joven para tomar café.

—¿Por qué dices que soy muy joven? —le preguntó Carlos—. Soy tu novio.

—¡Qué ridículo! No soy tu novia —contestó Carmen—. Es sólo un juego para que mi abuela esté contenta conmigo.

—Tú dices eso —dijo Carlos— pero yo sé que a ti te gustan los jóvenes.

—Posiblemente los jóvenes —respondió Carmen— pero no me gustan los bebés. Carlos estaba sorprendido de la manera de que Carmen hablaba. Era una chica tan hermosa pero al hablar se ponía muy fea. Carlos simplemente no la entendía.

La abuela Rivera entró en la cocina. Tiró algo al aire. Tenía un olor feo. Tenía olor a persona muerta.

—¿Uds. quieren comer huevos fritos para el desayuno? —les preguntó la abuela.

—Gracias —le dijo Carlos. Carlos no quería decir que no porque la abuela realmente era una mujer extraña.

La abuela frió los huevos. Le tiró algo a los huevos. Tenía un olor feo, olor a fruta pasada.

—Cuidado —les dijo Carmen—. Mi abuela está preparando huevos con sus secretos mágicos.

—¿Secretos mágicos? —dijo Carlos.

—Sí. Tiene secretos mágicos porque piensa que tú y yo nos vamos a casar. Piensa que vamos a ser esposo y esposa. Ella sólo nos quiere ayudar.

Carlos puso el brazo en el hombro de Carmen.

—Ya estamos enamorados, mi amor.

Carmen le pegó a Carlos. De nuevo, era mala. Cuando Carlos trató de besarla, Carmen le pegó. Le pegó fuerte. Otra vez Carmen era muy mala. La abuela de Carmen no vio cuando Carmen le pegó a Carlos. La abuela tenía una mirada fea.

Comieron huevos fritos para desayunar. Llegó la hora en que tenían que ir a la farmacia. ¿La farmacia también será muy extraña?

La farmacia sí era extraña. Tenía un olor muy feo. No había mucha luz. Era muy pequeña. Había muchas cosas extrañas en la farmacia. Muchas velas. Santos. Carlos vio muchas cosas muy extrañas. La abuela vendía uñas de gato. También vendía serpientes muertas.

Carlos se puso muy contento cuando Carmen le dijo:

—Carlos, vamos a la playa. La farmacia es demasiado pequeña para cuatro personas. Jaime se puede quedar aquí y ayudar a la abuela.

A Jaime no le pareció bien. Le tenía mucho miedo a la abuela. Pensaba que era bruja.

Jaime no tenía tiempo para pensar en la abuela, la bruja. La abuela le dio trabajo. Jaime tenía que limpiar la farmacia y también las paredes.

Una mujer entró en la tienda.

—Francesa, necesito tu ayuda —le dijo a la Sra. Rivera—. Mi madre está muy enferma. Necesito medicina para ella.

La abuela sacó algo de una canasta que estaba en la mesa. Parecía verde.

—Dale esto a tu madre. Tiene un olor horrible y un sabor horrible. Pero la va a curar. Si Dios quiere.

Un rato después entró otra mujer.

—¡Francesa! ¡Francesa! —le gritó la mujer a la abuela—. Necesito tu ayuda.

—Oh, Teresa. De nuevo es el mal de ojo. Tú necesitas algo para el mal de ojo.

—Sí —dijo la mujer—. Mi hija necesita algo para el mal de ojo.

La abuela Rivera sacó algunas cosas negras de la canasta que estaba en la mesa. Se las dio a la mujer.

Jaime estaba muy sorprendido de saber que hay gente que cree en el mal de ojo. Esto sí que era muy extraño.

—Las niñitas necesitan esto para que no tengan problemas con el mal de ojo —dijo la Sra. Rivera a Jaime.

—Qué bueno —contestó Jaime.

Jaime no sabía que decirle a la Sra. Rivera.

Un rato más tarde un hombre entró. Era un hombre muy viejo.

—Por favor, Francesa —le dijo el hombre—, ¿puedes hablar con mi esposa de mi parte?

—Quizás —le contestó la abuela al hombre—. ¿Por qué quieres hablar con ella?

—Estoy muy triste —le dijo él—. Debo decirle que la quiero.

Jaime pensó que era muy extraña toda esta situación. ¿Por qué no hablaba el hombre con su esposa? ¿Por qué no le dijo que la quería en persona?

—Voy a hablar con ella —le dijo la Sra. Rivera—. Vamos a otro cuarto para hablar con ella.

Entonces, la abuela Rivera y el hombre fueron a otro cuarto. Fueron a un cuarto pequeño en el fondo. En el cuarto la Sra. Rivera prendió unas velas. Los dos cerraron los ojos. La abuela empezó

a hablar de una manera muy extraña. En un instante, Jaime se dio cuenta por qué no podía hablar el hombre con su esposa. Su esposa estaba muerta. La abuela se podía comunicar con personas muertas.

Jaime siguió lavando las paredes. No quería hablar con la Sra. Rivera. No le gustaba la farmacia. Todo le parecía tan extraño y tan raro. Le daba mucho miedo. Estaba enojado con Carlos porque Carlos estaba en la playa divirtiéndose y él estaba con la abuela lavando paredes. Jaime quería estar en el barco. Quería estar en el crucero ahora mismo.

Durante todo el día vino mucha gente. Compraban toda clase de medicinas. Le hacían preguntas muy raras a la abuela Rivera. Prendían velas. Le pedían que los ayudara con la familia y con los novios.

Eran las cinco de la tarde. Ya era hora de cerrar la farmacia. Carlos y Carmen volvieron a la farmacia. Tenían las caras muy rosadas del sol. Parecían contentos.

—Hola —le dijo Carlos a Jaime cuando entró en la farmacia—. ¿Cómo pasaste el día aquí en la farmacia?

—Me dio mucha bronca porque yo estaba aquí trabajando y tú estabas en la playa con una mujer hermosa.

—Tampoco yo la pasé bien —le dijo Carlos a Jaime—. De hecho, la pasé muy mal. Era el esclavo de Carmen. Me obligó a trabajar para ella. Tenía que traerle bebidas y comida. Y además me trató muy mal todo el día.

—Debemos volver a nuestras casas lo más pronto posible —le dijo Jaime a Carlos.

—Pero sólo nos queda una noche más aquí —explicó Carlos—. Debemos aguantar una noche más y el barco llegará y nosotros saldremos de aquí.

—Está bien —dijo Jaime—. Pero tengo ganas de volver a casa. Tengo muchas ganas de volver a casa ahora mismo.

—Yo también —dijo Carlos—. Yo también.

Capítulo siete
El futuro

Esa noche, Carmen hizo la cena. Preparó arroz con frijoles. También hizo piononos. Los piononos son plátanos con carne. Tenían un sabor muy bueno.

Después de la cena, Carlos, Jaime y Carmen se sentaron en la cocina pequeña de la Sra. Rivera. Comieron mangos y bebieron jugo.

—Gracias por ayudarme hoy —le dijo la abuela a Jaime.

—De nada —respondió Jaime—. Fue muy interesante.

—Qué bueno —le dijo la abuela—. ¿Carlos, a ti te gustó la farmacia?

—Claro —le dijo Carlos—. No hay tiendas como ésta en Ohio.

—¿Ohio? —dijo la abuela Rivera.

—La calle Ohio —dijo Carmen. Le dio una mirada furiosa a Carlos. Carlos se olvidó que era el novio de Carmen. Por un minuto, Carlos solamente era un chico de Ohio. Carmen le dijo a su abuela:

—Ohio es la calle en Nueva York donde vive

Carlos.

—Claro, la calle Ohio —dijo Carlos.

—Hay muchas farmacias en Nueva York —les contestó la Sra. Rivera—. Cada barrio puertorriqueño tiene una farmacia.

—Por supuesto —les dijo Carlos.

—De todos modos le quiero agradecer de nuevo. ¿Sabían Uds. que yo sé el futuro? ¿Quieren saber el futuro de Uds. dos?

Carlos y Jaime no querían saber el futuro. Sólo querían volver a Ohio.

—Sé lo que está en los corazones de las personas —les dijo la Sra. Rivera—. Puedo saber hasta los pensamientos de las personas.

Ninguno de los dos quería saber el futuro. Tampoco querían saber los pensamientos de la abuela. Sólo querían regresar a Ohio.

—Abuelita —le dijo Carmen—, diles el futuro a ellos. Les va a gustar saber el futuro.

—De acuerdo —contestó la abuela—. Chicos, todo esto es gratis. No cuesta nada. Apaguen las luces. Trabajo mejor en la oscuridad.

Carmen apagó las luces. La casa estaba muy oscura.

—Está bien —dijo la abuela—. Ahora prende la vela grande en la mesa.

Carmen sacó una vela grande y roja. La encendió. La casa ya no estaba tan oscura pero ellos todavía tenían miedo.

La abuela Rivera tomó las manos de Jaime. Cerró los ojos y se empezó a mover. Empezó a temblar. Ella empezó a repetir unas palabras. Seguía repitiendo las palabras. Después de un rato la abuela habló:

—Jaime, tú estudiarás en la universidad. Estudiarás en la universidad durante varios años.

—Sí, es correcto —le dijo él. Jaime tenía planes de seguir estudiando. Estaba asombrado porque la abuela tenía razón.

—Veo el futuro. Vas a estar enfermo —le dijo la Sra. Rivera a Jaime. Tenía una voz baja que daba mucho miedo. Jaime no dijo nada.

—No. No es cierto. No vas a estar enfermo. Ahora lo veo. Vas a trabajar con los enfermos. Vas a ser médico en el futuro.

Jaime estaba muy sorprendido de nuevo porque él tenía planes de estudiar medicina.

—Eso sí que es bueno —le dijo la Sra. Rivera—. Hay una gran necesidad de doctores en el mundo hoy en día. Tú serás un buen doctor.

—Sí. Claro que sí —le respondió Jaime.

—Veo hijos y una esposa —le dijo la abuela a

Jaime—. Pero falta mucho tiempo todavía. Faltan años. Tu esposa tiene lentes y es un poco gorda. Tiene todos sus dientes. Eso sí que es bueno.

Jaime no sabía cómo responder. La abuela siguió teniendo las manos de Jaime. Siguió moviéndose y temblando. Tenía los ojos cerrados. A Jaime no le gustó todo esto. No quería oír más.

—Tienes una vida larga, muy larga —le dijo la abuela Rivera. Después dejó de hablar. Dejó de moverse. Dejó de temblar. Soltó las manos de Jaime.

—Ya terminé —le dijo la abuela a Jaime—. ¿Te gusta tu futuro?

—Sí —contestó Jaime.

—¿Estás contento de saber que hay una esposa y niños en tu futuro? —le preguntó la abuela.

—Sí, claro —le respondió Jaime. Jaime realmente quería una esposa que se pareciera a Selena Gómez en vez de una mujer gorda con lentes.

—Y vas a ser doctor —siguió la abuela—. Eso es una cosa muy buena.

—Sí —le dijo Jaime—, me gusta. Gracias por decirme que voy a ser doctor. Gracias por decirme el futuro. Me alegro mucho.

—Ya, ¿qué tal tu futuro, Carlos? —le preguntó la abuela—. Ya te voy a revelar tu futuro.

Miró a Carlos y le agarró las manos. Ella cerró los ojos. De nuevo empezó a moverse y temblar. Empezó a decir palabras raras y extrañas. Durante un buen rato la abuela no dijo nada.

—Veo la universidad en tu futuro. Muchos años en la universidad.

—¡Qué bueno! —le dijo Carlos. Ahora Carlos tenía miedo. Le pareció muy raro estar en un cuarto oscuro con una bruja vieja.

De pronto, la abuela se levantó. Soltó las manos de Carlos.

—¡Sal de mi casa! ¡Sal de mi casa inmediatamente! Eres malo. Tú eres muy malo. Traes espíritus malos a mi casa.

Carlos estaba muy sorprendido. ¡Qué terrible! ¿Qué vio la abuela en el futuro que era tan terrible? ¿Qué es lo que va a pasar en el futuro que es tan terrible? ¿Va a morirse muy joven?

Carlos se puso de pie. Le dijo:

—¿Qué pasa, Sra. Rivera? ¿Qué vio Ud.? ¿Qué es tan terrible?

—Tú eres terrible —le respondió la abuela—. Tú me mentiste.

La abuela se volvió hacia Carmen. La miró con una expresión incrédula y le dijo:

—Y Carmen, tú me mentiste también, ¡mi pro-

pia nieta!

—¿Por qué dices eso, abuelita? —le preguntó Carmen.

La abuela miró hacia el suelo.

—Carlos no es tu novio —le dijo a Carmen—. Lo veo todo muy claro ahora. Tú no eres parte de su futuro. Él me mintió y tú me mentiste también.

La abuela gritó con mucha fuerza:

—¡Carlos y Jaime tienen que salir de mi casa! ¡No quiero gente mala aquí!

La abuela gritó aún con más fuerza. Parecía loca. Realmente estaba loca de rabia.

Carlos no sabía qué hacer. Sólo sabía que ya era hora de salir. Debían salir lo más pronto posible.

—Vamos, Jaime —dijo Carlos.

Jaime sabía que Carlos tenía razón.

—Sí, vámonos de aquí ahora mismo.

Luego los dos hicieron lo único que podían hacer. Salieron corriendo de la casa. Salieron más rápido que el diablo. Corrieron lo más rápido posible. En verdad pensaban que el diablo los seguía.

Capítulo ocho
La lluvia

Carlos y Jaime siguieron corriendo hasta no poder más. Dejaron de correr cuando vieron un parque. Se cayeron porque estaban tan cansados. Era difícil respirar. Les dolían las piernas y los pies. Estaban muy cansados. Tenían mucho calor. Tenían mucha sed.

—¿Qué hacemos ahora? —preguntó Carlos—. Tenemos muchos problemas de nuevo. No tenemos donde pasar la noche y tampoco tenemos dinero.

—Por lo menos no tenemos hambre porque comimos bastante en la casa de la abuela —le contestó Jaime—. Me alegro mucho de eso.

—Qué mujer tan extraña, ¿no? —le dijo Carlos.

—Sí. Esa mujer me dio mucho miedo. Me asustó muchísimo —respondió Jaime.

Los dos jóvenes se quedaron un rato en el parque. No sabían exactamente dónde estaban. Sólo sabían que estaban en un parque en Puerto Rico. Había muchas tiendas y algunas casas pero las tiendas estaban cerradas. También había algunos

restaurantes y bares cerca. Oían música de salsa que llegaba desde los bares y olían el aroma de la comida de los restaurantes

Carlos y Jaime se sintieron muy tristes. No sabían qué hacer para resolver el problema. Ya era de noche y no tenían donde dormir. ¡Qué problema tan terrible!

—¡Quiero volver a Ohio! —gritó Jaime—. Puerto Rico es hermoso e interesante. Tiene un clima agradable y la gente aquí es muy simpática. Pero quiero regresar a Ohio.

—Extraño todo de Ohio. Yo también quiero volver ahora —dijo Carlos—. ¿Pero dónde está el puerto donde están los cruceros? Debemos encontrar el puerto.

—No lo sé yo —le respondió Jaime— pero tenemos que encontrarlo para poder tomar el crucero mañana.

—Debemos preguntarle a alguien —dijo Carlos—. Debemos preguntarle a una de esas personas que están sentadas enfrente de ese restaurante.

Carlos y Jaime se acercaron al restaurante. Se acercaron a una pareja que estaba cenando delante de uno de los restaurantes.

—Disculpen —les dijo Carlos—. ¿Saben dónde estamos?

La mujer se rió. El hombre pareció enojado.

—Lárguense de aquí —les contestó el hombre.

—Seguramente sólo quieren dinero —le dijo el hombre a su esposa.

Carlos empezó a salir. Tenía mucha vergüenza porque el hombre pensó que ellos sólo querían dinero. Carlos sabía la razón por la cual ellos pensaron eso. Los dos parecían vagabundos. Tenían la ropa muy sucia. No se ducharon en Puerto Rico. Era obvio que parecían vagabundos.

Jaime no se alejó. Se quedó. Le dijo al hombre:

—Caballero, nosotros no somos vagabundos. No somos de Puerto Rico y estamos perdidos. Por favor, ayúdenos. Saldremos mañana en un crucero pero no sabemos adónde ir para tomarlo. Por eso necesitamos su ayuda.

El hombre pareció muy sorprendido. Les dijo:

—Ese puerto queda a unos 12 kilómetros de aquí. Miren esa calle. Caminen por esa calle 12 kilómetros hacia el norte y van a llegar al puerto que buscan.

Jaime y Carlos comenzaron a caminar. Faltaban 12 kilómetros para llegar al puerto. Tenían sed y hambre.

—Nada puede ser peor —dijo Jaime.

Empezó a llover. Llovía mucho.

—Es lo único que nos faltaba —dijo Carlos—, un huracán.

—No es tan malo. Sigue caminando. Un poco de lluvia no nos va a hacer daño —le respondió Jaime.

Carlos hizo lo que dijo Jaime. Siguió caminando. Jaime tenía razón. Un poco de lluvia no les iba a hacer daño.

****

Un poco de lluvia no les iba a hacer daño pero demasiada lluvia les iba a causar muchos problemas.

Llovía y llovía. La lluvia estaba muy fría. Jaime y Carlos estaban muy mojados. Se sentían como ratas muertas. Pero seguían caminando. Caminaban muy despacio a causa de la lluvia pero seguían avanzando. Sabían que tenían que llegar al barco. Querían regresar a casa.

Caminaron durante una hora bajo la lluvia. Llovía muchísimo. Estaban tan cansados. Buscaban protección de la lluvia o un lugar seco. No vieron nada. Por fin vieron algo. Era una iglesia pequeña. Las luces estaban prendidas. Los chicos pensaban que habría alguien en la iglesia que los podía ayudar.

Carlos y Jaime corrieron a la iglesia. Tocaron a la puerta de la iglesia. Nadie abrió la puerta. Tocaron otra vez. Nadie respondió.

—No hay nadie aquí —le dijo Carlos—. Estoy tan cansado.

—Yo también estoy demasiado cansado —dijo Jaime—. Vamos a descansar un poco aquí en la iglesia. Dentro no está lloviendo. Podemos dormir un rato.

—Buena idea —contestó Carlos.

Los dos jóvenes se sentaron en la iglesia. La iglesia no era el Hotel Hilton. Tampoco era el Motel 6. Pero era un lugar seco. En cinco minutos los dos se quedaron dormidos.

Capítulo nueve
La sorpresa

Aunque la iglesia no era el Hilton ni el Motel 6, Jaime y Carlos durmieron mucho rato. Cuando se despertaron a la mañana siguiente, había sol. No estaba lloviendo.

—¿Qué hora es? —preguntó Jaime.

—No sé —contestó Carlos.

—Vamos —dijo Jaime—. El crucero va a estar a las ocho de la mañana. Debemos caminar lo más rápido posible.

Carlos y Jaime caminaron hacia el puerto. Caminaron rápido. No sabían la hora pero sabían que era temprano. Después de una hora, vieron el mar. ¡Estaban tan contentos de ver el mar! Dentro de poco podrían ir a casa.

—Vamos a correr —dijo Jaime.

—Sí, corramos —contestó Carlos—. No quiero perder el crucero esta vez.

—Es cierto —le respondió Jaime—. San Juan es una ciudad linda pero yo prefiero mi casa en Ohio.

—Yo también —dijo Carlos.

Los dos corrieron hacia el mar. No tardaron

mucho en llegar. Cuando llegaron, se sentaron. Estaban tan cansados. Fue duro dormir en una iglesia, caminar bajo la lluvia y correr. Lo hicieron todo sin comer. Miraron y vieron algo hermoso.

—¡La Fiesta! —gritaron ellos.

—¡Allí está! —gritó Carlos—. Es nuestro barco.

Estaban tan contentos de ver el barco. Mientras el barco se acercaba, podían distinguir las caras de las personas en el crucero.

—Espero que no tengamos problemas al subir al crucero —dijo Jaime.

—¡Claro que no! —contestó Carlos—. Carmen lo arregló todo.

—¡Qué bueno! —le respondió Jaime.

Por fin llegó el crucero. La gente estaba divirtiéndose en el crucero.

Jaime y Carlos estaban muy contentos. Estaban muy sucios y con mucha hambre pero sonreían felices. En un instante, las sonrisas desaparecieron. Llegó Carmen. Se acercaba a ellos.

—Mira —le dijo Carlos—. Es Carmen.

—¡Oh no! —le dijo Jaime—. No quiero ver a esa chica nunca más.

Pero era demasiado tarde. —¡Carlos! ¡Jaime! —les gritó Carmen.

—No la mires —dijo Jaime—. Va a pensar que

no la oímos.

—Está bien —le respondió Carlos.

Los dos jóvenes miraron en otra dirección. No podían hacer nada porque Carmen se puso frente a ellos. Parecía enojada.

—Muchachos —les habló con una voz tierna—, lo siento mucho.

Jaime y Carlos estaban sorprendidos. Quizás Carmen no estaba enojada con ellos.

—A veces mi abuela es… un poco loca —les dijo Carmen—. Es una mujer buena y la quiero mucho pero a veces actúa de una manera extraña. Me da vergüenza.

—Tu abuela me asustó —dijo Jaime.

—No hay por qué —respondió Carmen—. Ella no quiere asustar a nadie. Es un poco rara, nada más.

—¿Un poco rara? ¡Muy rara! —le respondió Jaime.

—Lo siento mucho —les dijo Carmen—. Es que yo realmente tengo la culpa. Todo eso de ser mi novio realmente no fue lo que debimos hacer.

—No hay problema —le dijo Carlos—. Estamos bien ahora. Estamos seguros. No hay problema.

—¿Dónde durmieron anoche? —les preguntó Carmen.

—Dormimos en una iglesia —le dijo Carlos— porque estaba lloviendo. Estaba lloviendo muy fuerte.

Lo siento mucho —les dijo Carmen.

—Llegó nuestro barco —le dijo Carlos—. Debemos irnos. No queremos perder el barco de nuevo.

—Les tengo una sorpresa —les dijo Carmen.

"¡Oh no!" pensó Carlos. No quería otra sorpresa. No quería otra sorpresa de Carmen. Ya tenía demasiadas sorpresas.

—Me puso muy mal lo de mi abuela, así que les conseguí un cuarto superelegante en el crucero —dijo Carmen.

Ahora sí que estaban sorprendidos Jaime y Carlos. Carmen era simpática después de todo.

—Gracias, Carmen —le dijo Jaime.

—Sí, Carmen —le dijo Carlos—, muchas gracias por todo. Estamos muy agradecidos.

—Debemos irnos ahora. Adiós, Carmen. Y adiós, Puerto Rico —dijo Carlos.

Carlos y Jaime caminaron hacia el barco. Estaban muy cansados y con mucha hambre pero estaban muy contentos. Todo terminó bien e incluso tenían un cuarto grande y elegante en el barco.

—¡Adiós, Carmen! —le gritó Jaime.

Carmen miró a los chicos con mucho cariño. Les sonrió. Se veía superhermosa. Al mirarla, Carlos pensó que Carmen realmente no era una mujer tan mala. Los ayudó muchísimo en Puerto Rico.

Carmen les gritó:

—¡Adiós, niñitos! ¡Vayan a casa con las mamitas!

Carlos rió. Carmen era la misma mujer. Era simpática pero era mala también. Era como la mayoría de las personas en el mundo. Simpática y un poco mala.

Los dos abordaron el crucero. Estaban tan contentos de estar en el crucero. Ya podían ir a Ohio.

Ahora sabían bien una cosa. Nunca iban a olvidarse de Puerto Rico.

GLOSARIO

The words in the vocabulary list are given in the same form (or one of the same forms) that they appear in in the text of *El viaje perdido*. So the form in the list in some cases is plural or feminine or a verb form that is not the infinitive.

Unless a subject of a verb in the vocabulary list is expressly mentioned, the subject is third-person singular. For example, *abrió* is given as only *opened*. In complete form this would be *she, he or it opened*.

The infinitive form of verbs is given as *to* ... For example, *beber* is given as *to drink*. The context in which the infinitive is used affects the translation. In some contexts, it would be just *drink*. In others, it would be *drinking*. One or two pronouns are sometimes attached to the end of the infinitive, for example, *besarla*, which means *to kiss her* and *devolvérmelo*, meaning *to give it back to me*.

Past tenses are used extensively in this story. To help you remember the meanings of past tense endings, you can refer to the following:

-é, -í, -aba, -ía	yo (I)
-aste, -iste, -abas, -ías	tú (you familiar singular)
-ó, -ió, -aba, -ía	ella (she), él (he) usted (you formal singular)
-amos, -imos, -ábamos, -íamos	nosotros (we masculine or mixed), nosotras (we feminine)
-aron, -ieron, -aban, -ían	ellas (they feminine), ellos (they masculine or mixed), ustedes (you plural)

It is also useful to know that the verb ending *-ndo* means *-ing* in English and that *-mente* at the end of a word is generally like *-ly* in English.

Abbreviations used in the list:

adj. for adjective, fam. for familiar, form. for formal, n. for noun, pl. for plural, p.p. for past participle, prep. for preposition, sing. for singular, subj. for subjunctive

abierto open (adj.)
abrió opened (past)
abuela grandmother
abuelita granny
acaba de entrar just entered, just came in
acerca de about
  acaba de entrar just came in
acercaba: se acercaba (a) approached, was approaching
acercaron: se acercaron (a) they approached
acercó: se acercó (a) approached
acompañaban they accompanied, went with
acompañar to accompany
acostaron: se acostaron they lay down, they went to bed
acostumbrada a accustomed to, used to
actuando acting
acuerdo: de acuerdo okay, I agree, we agree ((I'm/we're) in agreement)
adelante forward
  desde 1523 en adelante from 1523 on
además besides, furthermore
adentro inside (adverb)
agradecidos thankful, grateful
  estamos agradecidos we appreciate it
al (a + el) to the, at the, into the [*al* + infinitive = *when* or *as* + an appropriate tense]
  al hablar when she spoke
  al lado de beside, next to
  al mirarla as he looked at her
  al sentarse as he sat down
  al subir al crucero when we get on the cruise ship
  de un lado al otro from side to side
  jugaba al fútbol americano played football
  se miraron el uno al otro (they) looked at each other
alegro: me alegro (de) I am happy (about)
alegró: se alegró was happy
algo something
alguien someone
algún, algunas some
almuerzos lunches
alto tall
amable friendly, nice
amarillas yellow
andaba was walking around
anoche last night
antes before
antigua ancient, old
año year
  ¿cuántos años tiene? how old is she? (how many years does she have?)
  tiene más anos is older (has more years)
apenas hardly, barely
árbol tree
arena sand
aretes earrings
arroz rice
así que so
asiento seat
asombrosa amazing
atún tuna
aun, aún even
aunque even though, although, even if
  aunque la tía le diga a la gente even if the aunt tells the people
avión airplane

avisarles to let them know
ayuda helps; help (n.)
ayudar to help
ayudara: le pedían que los ayudara they asked her to help them
bailar to dance
bailes no bailes: don't dance (fam. command)
baja short, low
bajaría (de) would get off
bajaron (de) they got off
bajarse (de) to get off
bajo under; short
barco boat
bebé baby
beber to drink
bebía was drinking
bebida drink (n.)
béisbol baseball
bella beautiful
bendición blessing
besarla to kiss her
beso kiss (n.)
besó kissed
billetera wallet
blusa blouse
bolsillo pocket
bonita pretty
brazo arm
brillantes bright
broma joke (n.)
bronca: me dio mucha bronca it made me very angry
bruja witch
buscando searching for, looking for
buscar to (go) get, fetch
cabeza head
café coffee
caliente hot
calle street
calor heat
  hace calor it's hot (weather)
  hacía calor it was hot (weather)
  tenían mucho calor they were very hot (people)
cama bed
cambio: en cambio on the other hand
caminaba walked, was walking
caminar to walk
caminaron they walked
caminen por esa calle walk down that street (pl. command)
camisas shirts
cansa: se cansa mucho you get very tired
cansado tired
cara face
caramba wow
caretas masks
carnaval Carnival
Caribe Caribbean Sea
carne meat, beef
casar: nos vamos a casar we're going to get married
casarme: debo casarme I should get married
casen (subj.)**: tal vez se casen** they might get married, maybe they'll get married
cena dinner
cerca nearby (adverb)
  cerca de near, close to
cerró closed (past)
chica girl
chico boy, guy
chofer driver
cierto true
cincuenta 50
ciudad city
ciudadanos citizens

claro obvious, clearly, of course
  claro que sí of course
  claro que no of course not
cocidos cooked (adj.)
cocina kitchen
collar necklace
comentó commented
comenzaron they started
comenzó started, began
comer to eat
comía was eating, ate
comían they ate
comida food
comiendo eating
comieron they ate
como like
cómo how
  ¿cómo se llaman Uds.? what are your names? (how do you call yourselves?)
comprar to buy
Condado a section of San Juan
conmigo with me
conocerte to meet you
conocían they knew
conseguí I got
construirse to be built, to be constructed
contenta happy
contestó answered
contra against
correr to run
corrieron they ran
corto short
cree believes, thinks
creer to believe, to think
creía: se creía inteligente he thought he (himself) was smart
creída conceited
creo I believe, I think
crucero cruise ship
cual: la razón por la cual the reason why (for which)
cuando when
cuántos how many?
  ¿cuántos años tiene? how old is she? (how many years does she have?)
cuarto room
cuenta: se dio cuenta he realized
cuerpo body
cuidado be careful
culpa blame
  tengo la culpa it's my fault (I have the blame)
da: me da vergüenza embarrasses me (gives me embarrassment)
daba gave
  daba miedo was scary (gave fear)
  le daba mucho miedo it scared him a lot (gave him much fear)
  les daba miedo verlas seeing them (the masks) scared them (gave them fear)
daño damage, harm
  hacer daño to hurt
debajo de under
debemos we should, we must
debían they should (past), they had to
debo I should
decía said, was saying
decidir to decide
decimos: le decimos we call it
decir to say, to tell
decirles to tell them
dejaron de …-r they stopped …-ing
deje leave (something somewhere) (form. command)
dejó left (something somewhere)
  dejó de …-r(se) stopped …ing

delante de in front of
demasiado too
dentro de within (prep.)
  dentro de poco soon, shortly
deporte sport
desagradable unpleasant
desayunar to eat breakfast
desayuno breakfast
desde from, since
desocupado empty, unoccupied
despertar: despertarse to wake up (herself)
despertó: se despertó woke up (himself)
despierta: se despierta wakes up (herself)
despiértense wake up (pl. command)
después afterwards, after that, then
  después de after
detuvo: se detuvo stopped
devolvérmelo to return it to me
devolverte to return to you, to give back to you
di I gave
dice says
dicen they say
  le dicen they call it
  les dicen they call them
diciendo saying
diente tooth
dieron: les dieron miedo they scared them
difíciles difficult, hard
diga (subj.)**: aunque la tía le diga a la gente** even if the aunt tells the people
dijeron they said, they told
dijo said, told
dime tell me
dio gave
  se dio cuenta realized
  me dio mucha bronca it made me very angry
Dios God
  si Dios quiere God willing (if God wants)
dolían: les dolían … their … hurt (to them … hurt)
donde where, any place
  lugar donde dormir place to sleep
  no tenemos donde dormir we don't have anywhere to sleep
  no tenían donde pasar la noche they didn't have anywhere to spend the night
dormía I was sleeping
dormidos asleep
dormimos we slept
  nos dormimos we went to sleep, we fell asleep
dormir to sleep
dulces sweet
durante during, throughout, for (a period of time)
durmiendo sleeping
durmieron they slept
duro hard
e and (before words beginning in *i* or *hi* but not *hie*)
edificios buildings
emocionados (por) excited (to or about)
emocionante exciting
empezó started
en in, on
  en cambio on the other hand
  desde 1523 en adelante from 1523 on
  pensaron en they thought about

enamorado in love
encanta enchants, charms
le encanta s/he loves (enchants her/him)
me encanta I love (enchants me)
te encanta you love (enchants you)
encantan they enchant, charm
le encantan s/he loves them (they enchant her/him)
me encantan I love them (they enchant me)
encantaban: les encantaban they loved (them) ((they) enchanted them)
encanto enchantment
encontrar to find
encontraron they found
enferma sick
enojada angry, mad
enojar: se van a enojar con they're going to get mad at
enojó: se enojó (con) got mad (at)
entendía understood
entendían, entendieron they understood
entiende understands
entiendo I understand
entrar: acaba de entrar just entered, just came in
entraron (en *or* **a)** they entered, they came in
entró (en *or* **a)** entered, came in, went in
equipo team
era was
eran (they) were
eran las cinco de la tarde it was 5 p.m.
eres you are
esa that (adj.)
escaparse to escape
escuchaba: se escuchaba sounded
escuchar to listen (to)
escuchó heard
ese that (adj.)
eso that (pron.)
espero I hope
espero que no I hope not
espíritu spirit
esposa wife
esposo husband
esquiar to ski
esta this (adj.)
ésta this (one) (pron.)
estaba was
estábamos we were
estaban they were
estado state
Estados Unidos United States
estatuas statues
este this (adj.)
esté (subj.)**: para que mi abuela esté** so that my grandmother will be
éste this (pron.)
estudiaban they were studying
estudiamos we study
estudié I studied
estuvieron you (pl.) were
explicó explained
extraña strange
falda skirt
faltaba was missing, was lacking
le faltaba ... she was missing ... (... was missing to her)
faltaban 12 kilómetros they had 12 kilometers to go
es lo único que nos faltaba that's all (the only thing) we needed
faltan quince minutos para las ocho it's 15 minutes to 8

fea ugly
feliz happy
fiesta party
fin end (n.)
  por fin at last, finally
flaco skinny
flores flowers
fortaleza fort
francesas French
fresas strawberries
frijoles kidney beans
frió fried (past)
fritos fried (adj.)
fue was, went
  se fue left (past)
fueron (they) went
  se fueron (they) left, (they) went
fuerte loud, strong, hard
fuerza: gritó aún con más fuerza screamed even louder (with greater force)
fundó: se fundó was founded
fútbol soccer
  fútbol americano football
gana wins
ganas desire
  tengo ganas de I feel like (I have desire to)
  tenía ganas de felt like (had desire to)
gaseosa soda, pop, soft drink
gente people
gobernador governor
gorda fat
gran great, big
gratis free
gris gray
gritaron they yelled
gritó yelled
guagua bus (in Puerto Rico)
guapo handsome, good-looking
gusta pleases
  me gusta I like (it) ((it) pleases me)
  le gusta s/he likes (it) ((it) pleases her/him)
  les gusta they like (them) ((they) please them)
  te gusta you like (it) ((it) pleases you)
gustan (they) please.
  me gustan I like (them) ((they) please me)
  a ti te gustan you like (them) ((they) please you)
gustaba pleased
  le gustaba s/he liked (it) ((it) pleased her/him)
  les gustaba they liked (it) ((it) pleased them)
gusto: mucho gusto pleasure to meet you (much pleasure)
ha has (with p.p.)
había there was, there were; had (with p.p.)
habla speaks, talks
hablaba spoke, was speaking, talked, was talking
hablando speaking
hablar to talk, to speak
hablaron they spoke, they talked
habló spoke
hace: hace calor it's hot (weather)
hacer to do
  hacer daño to hurt (to do harm or damage)
hacerlo to do it
hacia towards
hacía did, was doing
  hacía mucho tiempo que eran amigos they had been friends for

a long time
hacía calor it was hot
hacían preguntas they asked questions
hambre hunger
tengo hambre I'm hungry (I have hunger)
estaban con hambre they were hungry (with hunger)
hasta until
hasta no poder más until they couldn't any more
hay there is, there are
helado ice cream
hermosa beautiful
hermosísimo really beautiful
hispanos Hispanic people
hizo made, did
hombro shoulder
hora hour, time
hoy today
huevos eggs
huracanes hurricanes
iba was going
iban they were going
iglesias churches
importa: no importa it doesn't matter
importaba: no les importaba it didn't matter to them
incluso even
Inglaterra England
ir to go
isla island
joven young, young person, young man
jóvenes young, young people, young men
juegan they play
juego game
jugaba played
jugador player
jugo juice
juntos together
la que the one that
lado side
al lado de next to, at the side of
de un lado al otro from side to side
ladrón thief
larga long
lástima: ¡qué lástima! what a shame/pity!
le to her/him/you, for her/him/you; meaning depends on context
el pelo se *le* movía *her* hair moved (moved itself *on her*)
***le* había robado otra mujer** another woman had stolen *from her*
le tenía mucho miedo *a* la abuela was really scared *of* the grandmother (had fear) [*le* refers to *la abuela* and is not expressed in English]
leído read (p.p.)
lejos far
a lo lejos in the distance, far away
les to them/you (pl.), for them/you (pl.); meaning depends on context
les dolían … their … hurt (to them … hurt)
levantarse to get up
levantó: se levantó got up, stood up
llama: se llama his/her name is (s/he calls herself/himself)
llamaba: se llamaba his/her, its name was (s/he called herself/himself)
llamada call (n.)
llamamos: lo llamamos más tarde we'll call you later

llaman: ¿Cómo se llaman Uds.? What are your (pl.) names? (How do you call yourselves?)
llamar to call
llamaron they called
llamo: me llamo my name is (I call myself)
llamó called
llegaba de was arriving from, was coming from
llegamos we arrived
llegar (a) to arrive (at), get (to)
llegará will arrive
llegaron (a) they arrived (at), got (to)
llegó (a) arrived (at), got (to)
llevaba wore, was wearing
llevó wore
llorar to cry
lo it, you (form.), him
  a lo lejos in the distance, far away
  a lo mejor probably
  lo arregló todo arranged everything (*lo* is not expressed in English)
  lo de mi abuela what happened with my grandmother
  lo hicieron todo they did everything (*lo* is not expressed in English)
  lo llamamos más tarde we'll call you later
  lo más … posible as … as possible
  lo poco the small amount
  lo que what
  lo sé I know (it)
  lo siento I'm sorry (I feel it)
  lo único the only thing
  lo único que nos faltaba all we needed (the only thing missing for us)
  lo veo todo I see everything (*lo* is not expressed in English)
  por lo menos at least
  todo lo que everything that
locas crazy
  loco por crazy about
luego then, afterwards, after that
lugar place
luz light
mal badly
  mal de ojo evil eye
mala bad, evil
mañana tomorrow, morning
manera way, manner
mano hand
máquina machine
mar ocean, sea
mareada seasick
más more, most, any more
  hasta no poder más until they couldn't any more
  lo más … posible as … as possible
  nada más that's all (nothing more)
  no … nunca más not … ever again
  tiene más años is older (has more years)
máscaras masks
mayoría majority
me me, to me, for me, myself; exact meaning depends on verb
  se me olvidó I forgot, it was forgotten by me
media: tres y media de la mañana 3:30 a.m.
medianoche midnight
mejor better, best
  a lo mejor probably
menos less

por lo menos: at least
mentiste you lied
mesero waiter
meses months
mí me (after prep.)
mi, mis my
miedo fear
daba mucho miedo was very scary (gave a lot of fear)
le daba mucho miedo it really scared him (it gave him a lot of fear)
le tenía mucho miedo a la abuela they were very afraid of the grandmother (they had a lot of fear of her) [*le* refers to *la abuela* and is not expressed in English]
les daba miedo verlas it scared them to see them (seeing them gave them fear)
les dieron miedo they scared them (they gave them fear)
me dio mucho miedo scared me a lot (gave me a lot of fear)
tenía miedo was scared
mientras while
mil 1,000
mintió lied
mira look (at) (fam. command), looks at
miraban they looked (at), they were looking (at)
mirada look (n.)
mirando looking (at)
miraron they looked (at)
miró looked (at)
misma same
sí misma herself
ahora mismo right now
modo manner, way
de todos modos anyway
monstruo monster
morena dark
morir to die
movía: el pelo se *le* movía *her* hair moved (moved itself *on her*)
movida busy
mucho much, a lot
muchas many
muchacha girl
muchísima very much
muchísimas very many
muere: se muere gente people die
muerta dead
mujer woman
mundo world
todo el mundo everybody
nada nothing, not anything
de nada you're welcome
nada más that's all (nothing more)
nadar to swim
nadie nobody
necesitamos we need
necesitan they, you (pl.) need
ni neither, nor
ni … ni neither … nor
ni siquiera not even
(no …) ni … tampoco (not …) or … either
no … ni not … or
ninguno neither (one)
no … ninguna not … any
niñitos little boys
niños boys
norteamericano american
nos us, to us, for us, ourselves; exact meaning depends on verb
nosotros we, us
notas grades
novia girlfriend
novio boyfriend

nuestro our
nueva new
  de nuevo again
nunca never, not ever
  no … nunca más not … ever again
o or
obvio obvious
ofendió: se ofendió was offended
ofreció offered
oían they heard
oír to hear
oíste you heard
ojo eye
  mal de ojo evil eye
olor odor, smell
olvidaron: se olvidaron de they forgot about
olvidó: se olvidó forgot
  se me olvidó I forgot, it was forgotten by me
oración prayer
orejas ears
orgulloso proud
oscuro dark
otra other, another
  otra vez again
oye hey, listen (fam. command)
oyeron they heard
oyó heard
padres parents
pagan they pay (for)
pagó paid (for)
país country, nation
pájaros birds
palabra word
par pair
para in order to, for
  faltan quince minutos para las ocho it's 7:45 (15 minutes lack for 8:00)
parada stop (n.)
paraíso paradise
parece seems
  a mí me parece bien it sounds good to me, it's okay with me
parecerle to seem (to her)
parecía seemed (to be), looked (like)
parecían they looked like, they seemed
  se parecían a they resembled, looked like
pareciera (subj.): quería una esposa que se pareciera a wanted a wife that looked like
pareció seemed
paredes walls
pareja couple
partido game
pasa is happening
pasada rotten
pasajeros passengers
pasar to happen, to spend (time)
pasó happened
pastel cake
pastelillo turnover; see Internet for recipes
pateó kicked
patria home country, native country
peces fish (pl.)
pedirle to ask her/him for
pegó hit (past)
pena: ¡qué pena! what a shame!
pensamientos thoughts
pensar (en) to think (about)
pensaron en they thought about
pensó thought
pequeña small, little (in size, not quantity)
perder to miss
perdido lost (adj.)

perdieron they missed
perdimos we missed
perdiste you missed
pesar: a pesar de in spite of, despite
pescado fish (sing.)
pidieron you (pl.) ordered, you (pl.) asked for
piel skin
piensa thinks
pienso I think
piña pineapple
piononos Puerto Rican plantain dish
piscina pool
placer pleasure
plátanos plantains
plato dish
playa beach
playeras t-shirts
pobre poor
pobrecitos poor things, poor babies
poco little (quantity, not size)
  dentro de poco soon, shortly
  lo poco the small amount
podemos we can
poder to be able to
  hasta no poder más until they couldn't any more
poderes powers
podía was able to, could
podían they were able to, they could
podría would be able to, could
podrido rotten
ponía: se ponía started to become
por by, because of, for
  caminen por esa calle walk down that street (pl. command)
  emocionados por excited to or about
  gracias por thanks for
  la razón por la cual the reason why (for which)
  loco por crazy about
  por eso that's why, therefore
  por favor please
  por fin at last, finally
  por lo menos at least
  por supuesto of course
  preocuparse por (to) worry about
por qué why
porque because
preguntó asked
prendía was lighting, lit
prendiendo lighting
preocuparse (por) to worry (about)
preocupes: no te preocupes don't worry (fam. command)
prestar to lend
primer, primero first
principios: a principios de at the beginning of
pronto soon
pudo could (past)
puede can, is able
puerto port
puertorriqueña Puerto Rican
puesta: la que tengo puesta the one I have on
punto: las ocho en punto eight on the dot
puso put (past)
  le puso la mano en la cabeza a Carlos she put her hand on Carlos' head
  me puso muy mal I felt very bad about
  puso una cara fea she made an ugly face
  se puso became
  se puso de pie he stood up

se puso frente a ellos got in front of them, put herself in front of them
que that, than
lo que what
tienen que they have to
qué what, what a
queda remains
nos queda … we have … left (remains to us)
queda a unos 12 kilómetros de is about 12 kilometers from
quedaba remained
nos quedaba we had left (remained to us)
quedar: se puede quedar can stay
quedarnos: tenemos que quedarnos we have to stay
quedaron: se quedaron dormidos they stayed asleep, they fell asleep
quedarse to stay
quedó: se quedó stayed
querer to want
quería wanted, loved
querían they wanted
queso cheese
quién who
quiere wants
quiero I want, I love
quince 15
quitaron: se quitaron they took off
rapidísimo very fast
raro strange, weird
rato: un rato a while
razón reason
la razón por la cual the reason why (for which)
tienes razón you're right
recado message
recorrer travel around
recuerden remember (pl. command)
regreso: estar de regreso to be back
reírse to laugh
relajarme to relax (myself)
reloj watch (n.)
remedio choice, way (remedy)
respondió responded
reza prays
rica rich, delicious
rieron: se rieron they laughed
rió: se rió laughed
rizado curly
robado: *le* había robado otra mujer another woman had stolen *from her*
robar to rob, steal
robaron they robbed, stole
robó robbed
me robó la billetera stole my wallet from me
robusto robust, strong
ropa clothes
sabe knows
saber to know
sabía knew
sabían they, you (pl.) knew
sabor flavor, taste
sacaba notas got grades
sacó took out
sale leaves, goes away
salía was leaving
salió left
salir to leave, to go out, to get out
salvarnos to save us
santos saints
se herself, himself, itself, themselves
el pelo se le movía her hair moved (moved itself on her)
se dio cuenta realized

se las dio a la mujer she gave them to the woman
se me olvidó I forgot (it was forgotten by me)
sé I know
lo sé I know (it)
secundaria high school
seguía was following, continued, kept on
seguían they continued
seguir to continue, to keep on
segundo second
seguramente surely
seguro safe, secure, surely
sentaba: se sentaba sat
sentaron: se sentaron they sat down
sentarse: al sentarse when he sat down
sentía: se sentía felt, was feeling
sentían: se sentían they felt, were feeling
sentó: se sentó sat down
ser to be
será will be
serpientes snakes
si if
sí que really (for emphasis)
siempre always
siente (subj.)**: ¿les parece bien que me siente aquí?** is it alright with you (pl.) if I sit here? (does it seem alright to you (pl.) that I seat myself here?)
siento: lo siento I'm sorry (I feel it)
siglo century
siguiente: a la mañana siguiente the next morning
siguieron they continued, kept on
siguió continued, kept on
simpático nice
sin without
siquiera: ni siquiera not even
sirvió: se sirvió he served himself
sobre on, on top
sol sun
solamente, sólo only
solos alone, by themselves
somos we are
todos somos we are all
son they, you (pl.) are
sonó rang
sonrió smiled
sonrisa smile (n.)
sorprendido surprised (adj.)
sorpresa surprise (n.)
soy I am
Sra. (señora) Mrs.
su, sus their, her, his, your (pl.)
suave soft
subieron a they got on
Sudamérica South America
sudamericanos South Americans
suelo floor
sueño: tenían sueño they were sleepy
suerte luck
tenían suerte they were lucky (they had luck)
supuesto: por supuesto of course
tal: ¿qué tal? what about?
tampoco not … either, neither
(no …) ni comida tampoco (not …) or any food either
(no …) y tampoco tenemos dinero (not …) and we don't have any money either
tan so
tanta, tanto so much
me alegro tanto I'm so happy
tenían tanta hambre they were so hungry (had so much hunger)

tantas, tantos so many
tarde late, afternoon
más tarde later
tarjetas cards
taza cup
te you, to you, for you, yourself; exact meaning depends on verb
temporada season
temprano early
tenemos we have
tenemos hambre we're hungry (we have hunger)
tenemos que quedarnos we have to stay
tener to have
tenga (subj.)**: quiere que yo tenga** wants me to have
tengamos (subj.)**: espero que no tengamos** I hope we won't have
tengan (subj.)**: para que no tengan** so they won't have
tengo I have
tengo 24 años I am 24 years old (I have 24 years)
tengo ganas de I feel like (I have desire to)
tengo hambre I am hungry (I have hunger)
tengo la culpa it's my fault (I have the blame)
tenía had
(le) tenía (mucho) miedo (a la abuela) was (really) scared of (the grandmother) (had fear) [*le* refers to *la abuela* and is not expressed in English]
tenía ganas de felt like (had desire to)
tenía mucha vergüenza was very embarrassed (had a lot of shame)
tenía razón was right (had reason)
tenía sueño was sleepy
tenían they had
no tenían otro remedio they had no other choice (remedy)
tenían (tanta) hambre they were (so) hungry (they had (so much) hunger)
tenían miedo they had fear, they were scared
tenían mucho calor they were very hot
tenían mucha sed they were very thirsty
tenían que they had to
tenían sueño they were sleepy
tenían suerte they were lucky (they had luck)
tenían vergüenza they were ashamed (they had shame)
ti you (after prep.)
tía aunt
tiempo time
tiene has
¿cuántos años tiene? how old is she?
tiene hambre is hungry (has hunger)
tiene más años is older (has more years)
tiene muchas cosas que hacer she has a lot of things to do
tienen they, you (pl.) have
tienen que they have to
tienes you have
tienes razón you're right (you have reason)
tiró threw
toalla towel
todo everything, all

de todos modos anyway
lo arregló todo arranged everything (*lo* is not expressed in English)
lo hicieron todo they did everything (*lo* is not expressed in English)
lo veo todo I see everything (*lo* is not expressed in English)
toda clase all kinds
todo el día all day
todo el mundo everyone (all the world)
todo eso de ser all that about being
todo esto all of this
todo lo que everything that
todavía still
todos all, everyone
en todas partes everywhere, all over the place
las puertorriqueñas son todas all the Puerto Rican girls are
todos comenzaron they all started
todos podemos we all can, all of us can
todos somos we are all, all of us are
toma asiento take a seat (fam. command)
tomaban they drank
tomando drinking
tomar to drink, to take
tomar helados to eat ice cream
tomar sol sunbathe, take in the sun
tomaron they took
tomaron sol they sunbathed, they took in the sun
tomas you drink
tonto fool, dumb, idiot
trabajar to work
trabajo I work; work, job (n.)
trató tried; treated
trató de tried to
triste sad
tu your
tú you
turístico tourist (adj.), for tourists
Ud. (usted) you (form. sing.)
Uds. (ustedes) you (pl.)
últimos last (adj.)
unas some, a few
única only
lo único the only thing
lo único que nos faltaba all we needed (the only thing missing for us)
unidos united
Estados Unidos United States
universitarios college/university students
uñas fingernails
usa: la gente usa people use or wear
usamos we used
usan: se usan are used
ustedes you (pl.)
vamos we are going, let's go
varios several, various
vaso glass (for drinking)
vayamos (subj.)**: cuando vayamos** when we go (in the future)
vayan go (pl. command)
veces times
a veces sometimes
velas candles
vemos: nos vemos pronto see you soon (we'll see each other soon)
vende sells
vendía sold
vendiendo selling
veo I see
ver to see

verdad truth
  en verdad truly, really
  de verdad real
verdes green
vergüenza embarrassment, shame
  tenían vergüenza they were ashamed or embarrassed
verlas to see them
vez time, occasion
  en vez de instead of
  tal vez maybe
  otra vez again
vi I saw
viajar to travel
viaje trip, voyage
vida life
videojuegos videogames
vieja old
vieron they saw
vine I came
vinieron they came
vino came
vio saw
visitaron they visited
vive lives
vivían they lived
vivos alive
volver to return
volvió returned
  se volvió turned (herself)
voy I am going
  me voy I'm leaving
voz voice
vuelve returns, comes back
vuelvo I return
  vuelvo pronto I'll be back soon
ya already, now
  ya que since, because
zapatos shoes

Level 1 novels

Pobrecita Ana, va uno por uno
Under 100 unique words

Ana, a 13-year old girl from California, is disappointed with the lack of friends that she has in her community. When she gets an opportunity to go to Guatemala for a visit, her mother encourages her that she can handle anything she faces one by one.

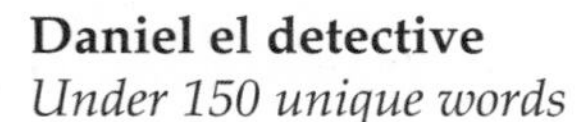

Daniel el detective
Under 150 unique words

Daniel lives in Spain and dreams of becoming a detective like Sherlock Holmes. He receives a ticket for La Tomatina, a famous tomato throwing festival, and he can't wait to go with his friends. When Daniel wakes up in the morning, he discovers his ticket is missing! Will Daniel be able to put together the clues to find the missing ticket and attend La Tomatina?

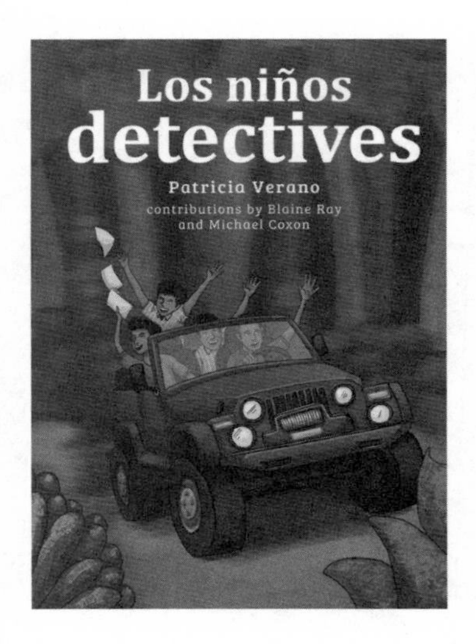

Los niños detectives
100 unique words

Alberto is a curious boy that lives with his family in Bolivia. His dad is a scientist and hopes that he follows in his footsteps. Unfortunately, Alberto is not interested in science and prefers drawing everything that he sees. One day, Alberto and his friend Pedro witness something suspicious and end up combining their talents in order to solve a mystery that involves saving missing animals.

Pobre Ana
Under 200 unique words

Ana is a bit jealous of all the things her friends have and is fed up with all the problems she has with her family. She decides to travel to Mexico for the summer in order to get away from it all. She ends up learning a lot about Mexico, other families, and herself.

Berto y sus buenos amigos
Under 200 unique words

Berto lives in Spain and always seems to get in trouble when he is with his friends. He spends the day with a group of his friends doing a variety of activities and ends up getting trouble with his dad.

Berto y sus buena ideas
Under 200 unique words

Berto lives in Spain. His best friend is Paquita. Berto's big problem is that he doesn't like school. Luckily Berto has an amazing imagination and can think of many other things to do rather than being in school.

Patricia va a California
Under 300 unique words

Patricia is a 15-year-old Guatamalan girl who visits the United States as an exchange student. In school, she is treated badly by a girl named Debbie. Later, Patricia finds Debbie in a dangerous situation. Find out how Debbie responds to Patricia's kindness.

Casi se muere
Under 300 unique words

An engaging story with a bit of romance about an American girl who goes to high school in Chile for 3 months. She encounters some difficulties with one of the people she meets and has to make a quick decision about helping someone that has been mean to her.

Level 2 novels

Mi propio auto
Under 300 unique words

Ben is a teenager that wants a new car for his birthday. In this culturally based fiction, he works in El Salvador to help rebuild houses after an earthquake so that his parents will buy him a new car. On his trip he learns some valuable lessons his parents always hoped he would.

¿Dónde está Eduardo?
Under 300 unique words

Summer vacation is beginning for 17-year-old Carmen. She is looking forward to spending a lot of time with her friends. Her plans change when she has to help Eduardo travel. The problems start once they set foot on the airplane. One crisis follows another.

El viaje perdido
Under 300 unique words-past

Carlos and Jaime from Ohio travel to Puerto Rico on a Caribbean cruise. The fun quickly ends as they find themselves stranded without any money, resources, or contacts. What will happen when Carlos and Jaime get caught in a lie during their lost trip?

¡Viva el toro!
Under 300 unique words

Cristina travels to Seville, Spain, where she lives with a family that has three children. She goes to a typical school with one of her Spanish sisters and meets a nice, handsome boy there. Everything goes smoothly until she goes to a bullfight. What will happen to the bulls?

Advanced novels

Todo lo que Brilla

Two friends face danger and adventure in the jungles and mines of Ecuador. Based on amazing and true events, this novel is an action packed adventure-romance that will keep students engaged until the last page.

Casa Dividida

José, the son of one of Cuba's wealthiest tobacco tycoons, and Luisa, a peasant sugar cane cutter, see their country turned upside-down by the Cuban Revolution.
Based on true events, this novel chips away at political propaganda with a gripping tale of battlefield heroism, international espionage, economic collapse, and human compassion.

Vida o muerte en el Cusco

High school senior Elena Garcia is vacationing in Cusco, Peru with her mother. Everything that Elena experiences bugs her. She is just starting to get interested in some things when her mother has an accident and suddenly Elena has to deal with the aftermath. The experiences that follow have a transformative effect on Elena.

En Busca del monstruo

Martin Sheffield arrived in Patagonia in southern Argentina over a hundred years ago. He was never able to realize his dream of capturing the mysterious monster that lives there. A century later his great granddaughter set out to solve the mystery for once and for all.

Please visit our website for more readers at www.TPRSbooks.com